S0-BZR-091

Rocas y tierra

Escrito por Maria Gordon
e
Ilustrado por Mike Gordon

EDELVIVES

Ciencia simple

Aire
Sonido
Flotar y hundirse
Luz
Color
Calor
Esqueletos y movimiento
Materiales
Rocas y tierra
Día y noche
Empujar y tirar
Electricidad y magnetismo

Depósito Legal: Z. 724-96
ISBN: 84-263-3272-2

Talleres Gráficos: Edelvives
Teléf. (976) 34 41 00 - FAX (976) 34 59 71
Impreso en España - Printed in Spain

Contenidos

Las rocas se componen de partículas diminutas unidas entre sí. Estas partículas son minerales. Las rocas no están vivas.

La tierra es una mezcla de piedras pequeñas, minerales, trocitos de plantas y animales muertos, agua y aire. La mayoría de las plantas crece en la tierra.

Hay tierra en todo lo que te rodea: debajo de las plantas, de las carreteras y de las casas. También en el fondo de los ríos, de los lagos y de los mares. Coge un poco de tierra. ¿De qué color es? ¿Qué textura tiene? ¿Hay alguna piedra o algún ser vivo en ella?

Puedes ver rocas en el campo y en los acantilados. La gente construye carreteras, muros y edificios con ellas. Busca algunas rocas. ¿Son grandes o pequeñas? ¿Qué textura tienen? ¿De qué color son?

Hace mucho tiempo, los hombres usaban piedras para hacer herramientas y armas. Aprendieron a cocinar con piedras calientes. Hicieron pucheros de piedra y construyeron muros y cabañas con las rocas. Las piedras preciosas las usaban de alhajas.

Los hombres molían las rocas hasta convertirlas en polvos de colores para pintar con ellos. Se dieron cuenta de que la mayoría de las plantas no crecía en suelo rocoso, por lo que aprendieron a sembrarlas en la tierra.

Los granjeros aprendieron a cultivar y regar la tierra.

Así sus plantas crecían mejor.

Las rocas se forman de diferentes maneras. Con el calor, los minerales se funden, y al enfriarse se quedan pegados, formando rocas. Los volcanes producen este tipo de rocas.

El azúcar es como un mineral. Pide ayuda a un adulto para derretir azúcar. Al enfriarse se endurece, igual que una roca.

Los ríos y los mares arrastran minerales, arena y barro, que van acumulándose en el fondo durante millones de años.

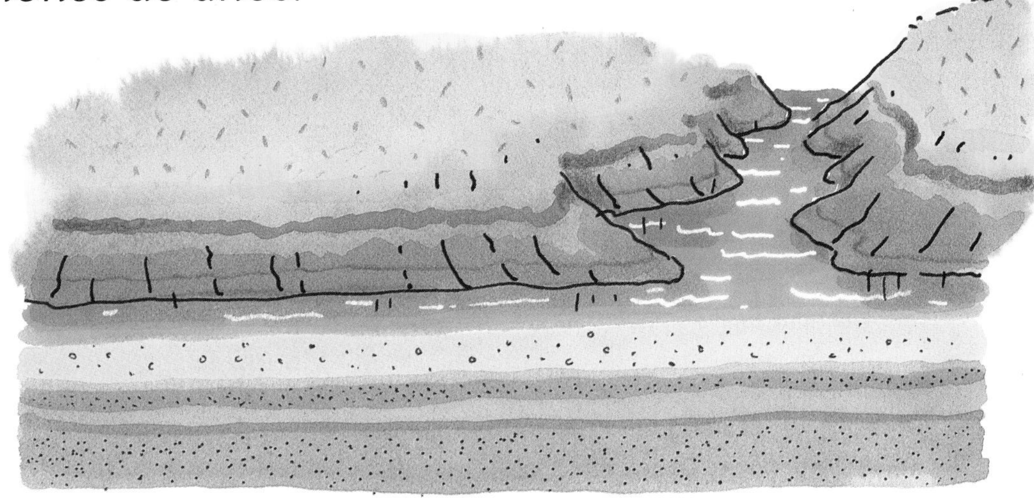

Algunos minerales acaban convirtiéndose en rocas porque están demasiado apretados y se endurecen.

Los azucarillos están hechos de diminutos granitos de azúcar. Son granitos muy apretados.

A veces, los minerales caen sobre animales y plantas muertos. Poco a poco, la arena y el barro se van amontonando sobre ellos. Así es como se forman los fósiles. Algunos fósiles son las partes sólidas de animales y plantas que quedaron sepultados. Otros sólo son las formas, o huellas, que los animales dejaron cuando quedaron enterrados.

Durante miles de años, las hojas muertas, las semillas y las ramas van cayendo unas sobre otras. Coge un trozo de carbón. Está formado de plantas enterradas. Se han aplastado tanto que se han vuelto duras.

El agua puede arrastrar minerales.
Cuando el agua se seca,
los minerales se quedan.

El agua que gotea en
las cuevas deja minerales.
Poco a poco, los minerales
forman grandes trozos
de roca.

Las costras de la cafetera son minerales.

El viento, el Sol y la lluvia desmenuzan las piedras en trocitos.

El Sol calienta la roca. El calor la hace un poco más grande.

Cuando, por la noche, la roca se enfría, encoge un poco. Con estos cambios de temperatura, la piedra se rompe en trocitos. Busca piedras pequeñas cerca de rocas grandes.

El agua ocupa más espacio cuando se congela.
A veces se congela dentro de las rocas.
Entonces el hielo empuja contra las rocas
y las resquebraja.

Pon algunas piedras resquebrajadas en un cuenco de plástico.

Cúbrelas con agua.
Congélalo y después caliéntalo.

Algunas piedras se han partido. Las grietas de otras son más grandes.

El agua del mar desgasta los salientes de las rocas y de las piedras hasta formar los guijarros y la arena. El agua arrastra los guijarros y la arena y éstos hacen que se rompan trozos grandes de roca. Las olas del mar también chocan contra las rocas. Es la erosión.

El viento desgasta las partes más blandas de las rocas. Las plantas rompen las rocas cuando crecen entre sus grietas. También los animales pueden romper y resquebrajar las piedras.

Los trocitos de roca forman parte de la tierra. Según el tipo de tierra, los trozos de roca serán más grandes o más pequeños. En la tierra arenosa puedes ver granos pequeños. Para encontrarlos en la tierra limosa necesitarás una buena lupa. Los de la tierra arcillosa son demasiado pequeños para que los veas.

Fíjate en cuánto tarda en secarse el suelo después de haber llovido. La tierra arcillosa se enfanga y tarda mucho tiempo en secarse.

La tierra arenosa se seca rápidamente.

La tierra limosa se seca después que la arenosa y antes que la arcillosa.

Pide ayuda a un adulto. Busca tres tipos de tierra diferentes. Corta la base de tres envases de plástico.

Introduce un envase en cada tipo de tierra. Echa la misma cantidad de agua en cada uno. La tierra con más arena absorbe el agua con mayor rapidez.

La tierra se acumula sobre las rocas. Pide a un adulto que te ayude a cavar un hoyo pequeño en el campo. Procura no tropezar con ninguna roca. Busca gusanos o insectos en la tierra. Fíjate en que la tierra de la superficie es más oscura y la del fondo más clara.

En esa parte más oscura de la tierra hay restos de plantas y animales que se están descomponiendo. Se llama humus. Los seres vivos que están en la tierra se alimentan de esos restos y los van haciendo cada vez más pequeños.

Recoge en cubos tres tipos de tierra diferentes.

Coge tres tarros de cristal y echa 5 cm de tierra en cada uno de ellos.

Llena los tarros con agua y espera diez minutos.

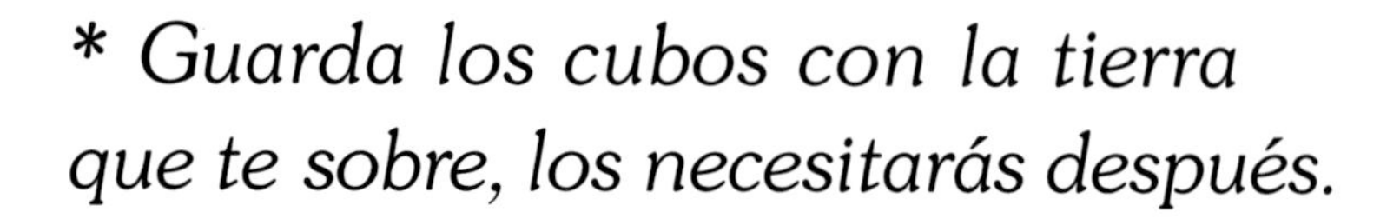

** Guarda los cubos con la tierra que te sobre, los necesitarás después.*

Las piedras caen al fondo.
Las partículas finas se mezclan con el agua y la enturbian.

El humus flota.

La tierra arcillosa enturbia el agua y la limosa tiene mucho humus.

¿Puedes ver alguna burbuja en el tarro? Están llenas del aire que había en la tierra.

Pon los cubos de tierra en un lugar cálido y soleado. Obsérvalos cada día durante una semana. Riégalos si los ves secos. Mira si está creciendo alguna planta o si tienen algún ser vivo.

Al final de la semana, siembra tus propias semillas. Observa en qué tipo de tierra germinan mejor.

Las plantas existen desde hace millones de años. Las primeras semillas germinaron entre rocas. Se alimentaban de los minerales de las rocas.

Cuando las plantas morían, se formaba humus. El humus servía de alimento para pequeños seres vivos y para otras semillas. La mezcla de rocas y humus formó la tierra. Esto empezó hace millones de años.

El viento y la lluvia arrastran la tierra y la desgastan, es decir, la erosionan. Fíjate en una zona pelada y seca. El viento levanta mucho polvo.

Las plantas ayudan a frenar la erosión. Vierte agua en una pendiente con césped y en otra pelada. El césped absorbe lentamente el agua.

Sin embargo, en la pendiente pelada, el agua arrastra la tierra.

Conservando los árboles y las plantas contribuimos a frenar la erosión del suelo.

La tierra necesita humus para alimentar lo que crece en ella. Podemos utilizar el césped que cortamos, hojas y plantas viejas para hacer humus.

Mira el dibujo. ¿Cómo puedes ayudar a hacer tierra y a mantenerla a salvo?

Notas para adultos

«Ciencia simple» es una colección informativa pensada para los primeros lectores. Cada libro contiene un texto sencillo y objetivo, acompañado de divertidas ilustraciones, y combina la lectura como placer con el trabajo de investigación.

Los contenidos de este libro están relacionados con los del currículo de Conocimiento del Medio. Esta colección acerca a los niños al mundo de las ciencias, explicando de manera simple algunos fenómenos físicos que podrá comprender al realizar los experimentos que se proponen.

Estos libros son adecuados tanto para usarlos en casa como en el colegio. A continuación se sugiere una serie de actividades complementarias.

1. Contrastar los distintos usos que los hombres prehistóricos daban a las piedras con los que actualmente les damos, señalando y razonando los materiales por los que han sido sustituidas.

2. Recoger varios tipos de rocas y compararlas. Estudiar su dureza, su forma, su color... Hacer una puesta en común sobre lo que se puede conocer de una roca por su aspecto.

3. Visitar un museo arqueológico para observar distintos fósiles. Después intentar dibujar alguno de los animales fosilizados tal como imaginen que fueron en su origen.

4. Modelar distintas figuras con arcilla e intentar hacer lo mismo con tierra arenosa. ¿Por qué no se puede modelar con este tipo de tierra? Razonar la respuesta.

5. Explicar por qué las lluvias torrenciales afectan al suelo. ¿Qué consecuencias originan?

6. Los incendios forestales y la tala de bosques son dos grandes problemas mundiales. Razonar las repercusiones que tienen y las posibles soluciones al respecto.

7. Hacer una redacción sobre los distintos tipos de erosión, ya sea del suelo o de las rocas. Previamente podemos explicar cómo inciden agentes naturales como el viento, el agua y los cambios de temperatura bruscos sobre estos dos elementos. El enfoque será libre pero coherente.

8. Recoger humus y observarlo con lupa. Analizar cuántos elementos distintos contiene y de dónde procede cada uno. Organizar propuestas para proteger el humus del suelo.

Índice